D1498326

ALDÉBARAN

TAURUS

Première photo de la planète Bételgeuse-6
prise par la sonde automatique « Neil Armstrong »
en 2142.

LEO

BETELGEUSE

4. LES CAVERNES

DARGAUD

PARIS • BARCELONE • BRUXELLES • LAUSANNE • LONDRES • MONTREAL • NEW YORK • STUTTGART

LES MONDES D'ALDÉBARAN

TITRES DISPONIBLES :

CYCLE 1 : ALDÉBARAN
1/LA CATASTROPHE
2/LA BLONDE
3/LA PHOTO
4/LE GROUPE
5/LA CRÉATURE

ALDÉBARAN : L'INTÉGRALE

CYCLE 2 : BÉTELGEUSE
1/LA PLANÈTE
2/LES SURVIVANTS
3/L'EXPÉDITION
4/LES CAVERNES

À PARAÎTRE :
1 TOME

TITRES DISPONIBLES DU MÊME AUTEUR :

TRENT (8 volumes) - scénario RODOLPHE
KENYA (3 volumes) - scénario RODOLPHE et LEO
DEXTER LONDON (2 volumes) - dessin GARCIA

www.aldebaran.ws

www.dargaud.com

Dépôt légal : juillet 2004 • ISBN 2-205-05475-9
Imprimé en France par PPO Graphic, 93500 Pantin

FAIS VITE, STEVE !
JE NE ME SENS PAS DU
TOUT EN SÉCURITÉ, ICI !
...

ÇA Y
EST.

UNE MOTO
VOLANTE !

JE L'AI APPELÉE
À TRAVERS MON
COMMUNICATEUR.
PRATIQUE,
NON ?

3

C'EST GÉNIAL CE TRUC, STEVE!

JE T'AVAIS DIT QUE TU POUVAIS ME FAIRE CONFIANCE!

ET VOILÀ NOTRE MODULE! ...

NOUS MANGEONS ET NOUS PARTONS, O.K.? TANT PIS POUR LA FATIGUE.

BIEN SÛR, STEVE, CHAQUE MINUTE COMPTE!

AU MÊME MOMENT, À L'INTÉRIEUR DE LA CAVERNE OÙ KIM ET HECTOR SE TROUVENT COINCÉS.

STEVE, VOUS M'ENTENDEZ? ...STEVE, C'EST KIM!...

RIEN! ILS SONT PARTIS, SANS DOUTE. ILS NOUS CROIENT MORTS.

IL Y A UN ANIMAL, LÀ-HAUT, QUI NOUS OBSERVE...

HUM... IL EST PETIT. JE NE CROIS PAS QU'IL SOIT UNE MENACE POUR NOUS.

IL FAUT QU'ON S'EN AILLE D'ICI. PERSONNE NE VIENDRA À NOTRE RESCOUSSE. IL FAUT QU'ON TROUVE UNE SORTIE, CES CAVERNES SONT TROP DANGEREUSES!

POUR COMMENCER, IL FAUT DÉJÀ TROUVER LA SORTIE DE CETTE SALLE. J'AI FAIT UN PETIT TOUR TOUT À L'HEURE ET JE N'AI RIEN TROUVÉ.

PFFFF

REGARDE!

OH, MON DIEU!

LEO

②

LE LIEUTENANT ET LA JEUNE FEMME BLONDE NOUS ONT FAUSSÉ COMPAGNIE, VOUS L'AVIEZ REMARQUÉ? ILS CHERCHAIENT À GAGNER LEUR MODULE, JE SUPPOSE.

OUI, MAIS JE N'AVAIS PAS L'INTENTION DE LES RETENIR.

C'EST TRÈS RISQUÉ D'AFFRONTER LA FORÊT SANS ARMES, SURTOUT LA NUIT! C'EST MÊME SUICIDAIRE!

ILS ONT FAIT UNE BÊTISE, C'EST SÛR!

QUEL GÂCHIS, TOUT ÇA, DONOVAN! APRÈS LE DÉSASTRE QUE NOUS AVONS PROVOQUÉ ICI À NOTRE ARRIVÉE, VOILÀ QUE LA MISSION QUI VIENT NOUS AIDER RISQUE D'ÊTRE ENTIÈREMENT DÉCIMÉE!...

OUI,... JE NE ME SENS PAS FIER, TU PEUX ME CROIRE!... JE...

HÉ! MON COLONEL!

IL Y A UN DE CES REQUINS QUI S'APPROCHE, DEVANT NOUS!

COLLONS-NOUS À LA RIVE! VITESSE RÉDUITE!

CLANG

⑤

7

TCHBOUMM

NOUS L'AVONS ÉCHAPPÉ BELLE ! MAIS CES PAUVRES LOPEZ ET ALONZO !... CETTE BÊTE EST UN VRAI CAUCHEMAR !...

JE ME DEMANDE POURQUOI LES IUMS NOUS ONT ATTAQUÉS SANS RAISON APPARENTE. C'EST LA PREMIÈRE FOIS QU'ILS FONT ÇA !

C'EST UNE RÉACTION À LA MORT DE KIM, ÉVIDEMMENT !

COMMENT ÇA, TOSHIRO ?

CET IUM AMI DE MAÏ LAN A VU CE QUI EST ARRIVÉ À KIM. ILS ONT VOULU SE VENGER !

TU DÉLIRES, TOSHIRO...

PENDANT CE TEMPS...

NOUS NE SOMMES PLUS TRÈS LOIN.

AH, STEVE, J'AIMERAIS BIEN QUE TU AIES RAISON ET QUE KIM ET HECTOR SOIENT ENCORE EN VIE. MAIS J'AVOUE QUE JE NE LE CROIS PAS TROP.

ON VERRA BIEN...

VOILÀ LA DIGUE ! NOUS SOMMES ARRIVÉS.

LEO

⑧

ENCORE RATÉ ! C'ÉTAIT NOTRE HUITIÈME GROTTE, INGE...

JE MEURS DE FAIM. ON SE FAIT UN PETIT BREAK ?

DIS... TU AS L'AIR ABATTU : TU COMMENCES À DOUTER QU'ILS SOIENT ENCORE EN VIE, HEIN ?

NOUS ALLONS ARRÊTER POUR AUJOURD'HUI. LA NUIT NE VA PAS TARDER ET NOUS SOMMES ÉPUISÉS. NOUS CONTINUERONS DEMAIN.

OUI... S'ILS ONT SURVÉCU À CE PLONGEON DANS LE GOUFFRE ET SI KIM A RÉSISTÉ À SES BLESSURES, ÇA COMMENCE À FAIRE TROP LONG. IL Y A DES ANIMAUX DANGEREUX, LÀ-DEDANS...

JE SAIS CE QUE TU RESSENTAIS POUR KIM. ÇA DOIT ÊTRE PARTICULIÈREMENT DUR POUR TOI.

HMM... OUI, TRÈS DUR...

MÊME SI JE SUIS SÛR AUJOURD'HUI QUE RIEN NE POURRAIT JAMAIS MARCHER ENTRE KIM ET MOI...

POURQUOI ?

PARCE QUE JE NE SUIS PAS À LA HAUTEUR D'UNE FILLE COMME KIM. JAMAIS ELLE NE POURRAIT SE CONTENTER D'UN MEC COMME MOI. QUELQU'UN QUI N'A CONNU QUE SA FERME, PERDUE AU FIN FOND DU KANSAS, AVANT D'ALLER À L'ACADÉMIE MILITAIRE DU COIN...

LA MÊME CHOSE VIS-À-VIS DE TOI : JE NE SUIS PAS À LA HAUTEUR. À FORCE DE VOUS FRÉQUENTER, KIM ET TOI, CES DERNIERS TEMPS, J'AI FINI PAR ME RENDRE COMPTE DE MES LIMITES.

TU EXAGÈRES TROP, STEVE !...

VIENS... DORMONS ENSEMBLE.

AH, NON, INGE ! TU NE VAS PAS COUCHER AVEC MOI PAR SIMPLE PITIÉ, NON ?

NE DIS PAS DES BÊTISES, STEVE ! VIENS.

TU ES DÉJÀ DEBOUT !

ET J'AI PRÉPARÉ LE PETIT DÉJEUNER.

PAR OÙ ALLONS-NOUS COMMENCER, AUJOURD'HUI ?

PAR LÀ. NOUS N'AVONS PAS ENCORE ESSAYÉ DE CE CÔTÉ...

HUM... TU SAIS, IL SE PEUT QU'IL N'Y AIT PAS DE PASSAGE, STEVE. IL FAUDRAIT PEUT-ÊTRE QU'ON SE FIXE UNE LIMITE DE TEMPS POUR NOS RECHERCHES, TU NE TROUVES PAS ?

OUI... SI NOUS NE TROUVONS RIEN AUJOURD'HUI, CE N'EST PLUS LA PEINE DE CONTINUER.

⑪

13

KIM!
...

OUI?
...

TIK-TIK-TIK-iiiNNNNNNN-TIK!

IL Y A DES BRUITS ÉTRANGES QUI VIENNENT DE CE TUNNEL, LÀ!... C'EST UN PEU INQUIÉTANT.

VITE, TIRONS-NOUS!

AH, VOILÀ UNE CAVERNE IMPOSANTE! COMMENÇONS PAR ELLE!

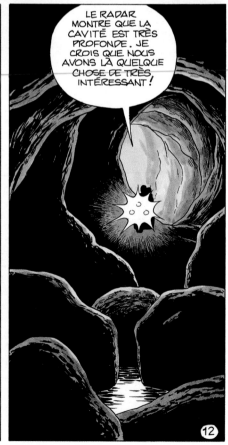

LE RADAR MONTRE QUE LA CAVITÉ EST TRÈS PROFONDE. JE CROIS QUE NOUS AVONS LÀ QUELQUE CHOSE DE TRÈS INTÉRESSANT!

12

ET MAINTENANT? LEQUEL DE CES TUNNELS CHOISIR?

CELUI-CI PARAÎT LE PLUS FACILE. LE SOL EST PLAT ET COUVERT DE SABLE...

O.K. ALLONS-Y.

?!

MAIS QU'EST-CE QUE C'EST QUE ÇA ?!

UN ROBOT, ON DIRAIT...

QUOI ?! MAIS COMMENT CE TRUC PEUT RESTER COMME ÇA, IMMOBILE DANS L'AIR ?!

IL DOIT UTILISER UNE PROPULSION SEMBLABLE À CELLE DE L'AÉROJEEP, JE NE SAIS PAS... CE QUE JE SAIS, C'EST QU'IL ESSAIE DE NOUS EMPÊCHER DE PRENDRE CE TUNNEL.

TU VEUX DIRE QUE QUELQU'UN EST EN TRAIN DE NOUS REGARDER À TRAVERS CE ROBOT ? MAIS QUI, NOM DE NOM ?!

J'AIMERAIS AUSSI LE SAVOIR !...

QU'EST-CE QUE TU VAS FAIRE ?

13

15

UN TEST.

CRRRRSSH...

CELUI QUI COMMANDE CE ROBOT VIENT DE NOUS SAUVER LA VIE...

ÇA ALORS !

J'ESPÈRE QU'IL NOUS INDIQUERA MAINTENANT LE CHEMIN DE LA SORTIE !

TIK TIK TIK TIK

LE BRUIT BIZARRE RE-COMMENCE !

QU'EST-CE QUE ÇA PEUT BIEN ÊTRE ?...

JE N'AI PAS TRÈS ENVIE DE LE SAVOIR ! VIENS ! ALLONS PAR LÀ !

LA SPHÈRE ! ELLE A DISPARU !

TIK TIK TIK

REGARDE !

LEO

14

TIK TIK TIK TIK

ILS SONT BIZARRES, HEIN ?

TRÈS BIZARRES !

¡¡¡NNNNNNNNNNNNN

PARTONS D'ICI ! JE N'AIME PAS ÇA, ILS ONT DES DENTS DE CARNIVORES ET ILS SONT DE PLUS EN PLUS NOMBREUX !

EN ESPÉRANT QUE CE PASSAGE NE SOIT PAS UN CUL-DE-SAC ...

ÇA NE VA PAS ?

LA DOULEUR !... MERDE, ÇA RECOMMENCE !

LES PETITES BÊTES NOUS SUIVENT !...

TIK TIK TIK

JE VAIS BLOQUER LE PASSAGE.

VOILÀ! ÇA VA AU MOINS LES RETARDER...

VIENS, ON S'EN VA!

C'EST BEAU, HEIN?

J'ESPÈRE SEULEMENT QUE NOUS MARCHONS VERS LA SORTIE ET PAS LE CONTRAIRE...

LE TORRENT COULAIT DANS CETTE DIRECTION, HECTOR. C'EST FORCÉMENT LA BONNE.

OUF! JE N'EN PEUX PLUS! IL FAUT QUE JE ME REPOSE UN P...

16

18

RRRRRR...

SEIGNEUR TOUT-PUISSANT!

L'ARME, VITE!

GRAWRRR

PAW PAW PAW PAW PAW PAW PAW

PAW PAW PAW PAW PAW

RRRR

PAR ICI, KIM!

CLIK

LEO

JE N'AI PLUS DE MUNITIONS!

VITE!

GRAWRR

17

19

ALORS ?
COMMENT
VA-T-IL ?

IL EST
MORT.

MORT ?!

NON !... NON !...
CE N'EST PAS
POSSIBLE !...

JE N'EN PEUX PLUS DE VOIR TANT
DE GENS MOURIR AUTOUR DE MOI !
J'AI DÉJÀ VU DES DIZAINES, DES
CENTAINES, DES MILLIERS DE MORTS !
JE N'EN PEUX PLUS !

AH-HAAA !...

IL FAUT S'EN ALLER D'ICI. LES CADAVRES DES BÊTES VONT ATTIRER DES CHAROGNARDS.

LE MOTEUR NE RÉPOND PAS... JE CROIS QUE LA MOTO EST INUTILISABLE.

LE TABLEAU DE BORD A SOUFFERT. C'EST PEUT-ÊTRE SEULEMENT UN PROBLÈME ÉLECTRONIQUE DANS LES COMMANDES. LAISSE-MOI JETER UN COUP D'OEIL.

TU T'Y CONNAIS, EN ÉLECTRONIQUE? CE TRUC SEMBLE ARCHI-COMPLIQUÉ!...

JE VAIS ESSAYER...

BIEN,... MAIS EN ATTENDANT IL FAUT QUE JE MANGE! J'AI PERDU BEAUCOUP DE SANG. DIS, VOUS AVEZ APPORTÉ DE LA BOUFFE AVEC VOUS, NON?

ET LA DOULEUR, KIM, ÇA VA?

OUI, POUR LE MOMENT, ÇA VA...

C'EST INCROYABLE QUE VOUS AYEZ RÉUSSI À SURVIVRE! SURTOUT TOI, KIM. JE N'EN REVIENS PAS!

OUI,... ON DIRAIT QUE JE SUIS INCREVABLE!... EN GÉNÉRAL, CE SONT LES GENS À CÔTÉ DE MOI QUI TOMBENT. FAITES GAFFE, VOUS DEUX, HEIN!...

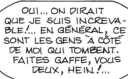

LEO

KIM!...

CLIK

(22)

ÇA Y EST! LA MOTO EST EN ÉTAT DE MARCHE! C'ÉTAIT UN PROBLÈME DE COURT-CIRCUIT, TOUT BÊTEMENT.

C'EST VRAI?!

TU ES GÉNIALE, INGE!

ALLONS-Y. SI CETTE BÊTE BOUGE UN MUSCLE, DESCENDEZ-LA SANS HÉSITER, HEIN!

L'ORDINATEUR DE BORD A ENREGISTRÉ LE PARCOURS. IL NOUS GUIDERA JUSQU'À LA SORTIE.

PAUVRE STEVE! C'EST LUI QUI AVAIT RAISON: IL N'A PAS CESSÉ DE DIRE QUE VOUS ÉTIEZ PEUT-ÊTRE EN VIE ET QU'IL FALLAIT ESSAYER DE VOUS RETROUVER. MAIS PERSONNE N'A VOULU L'ÉCOUTER...

MÊME MOI, JE PENSAIS QU'IL DÉBLOQUAIT, QU'IL EXAGÉRAIT, À CAUSE DU BÉGUIN QU'IL AVAIT POUR TOI, KIM...

SI TU VOULAIS ME FAIRE PLEURER, T'AS RÉUSSI, INGE...

JE ME SENS TERRIBLEMENT COUPABLE... J'AI SOUVENT ÉTÉ BIEN INJUSTE AVEC LUI. JE PERDAIS MON CALME POUR UN OUI OU POUR UN NON!

MAIS IL FAUT DIRE QU'IL ÉTAIT UNE VRAIE TÊTE DE MULE, HEIN?

OUI!... ET QU'EST-CE QU'IL ÉTAIT COINCÉ! JAMAIS VU UN MEC AUSSI COINCÉ!...

SACRÉ STEVE!...

LEO

23

VOICI LA SORTIE! JE N'ARRIVE PAS À Y CROIRE!

NOUS AVONS RÉUSSI !

ON S'ARRÊTE UN PEU, D'ACCORD ?

BON... QU'EST-CE QU'ON FAIT, MAINTENANT ? ON REGAGNE NOTRE MODULE TOUT DE SUITE ?

CE SERAIT BIEN, HEIN ? POUVOIR PRENDRE UN BON BAIN ET DORMIR DANS UN LIT MOELLEUX AUX DRAPS BIEN PROPRES !...

AH OUI ! ET MON ROYAUME POUR UN REPAS CHAUD !

MAIS LA NUIT NE VA PAS TARDER À TOMBER, ET JE SUIS ÉPUISÉE, MES AMIS. C'EST PLUS SAGE D'ATTENDRE DEMAIN POUR PARTIR.

TU AS RAISON.

MAIS IL Y A UNE CHOSE QUI NE PEUT PAS ATTENDRE : IL ME FAUT UN BAIN ! JE PUE LA SUEUR ET JE DOIS CHANGER MON PANSEMENT.

DANS LA MOTO IL Y A DU SAVON ET DES VÊTEMENTS DE RECHANGE...

LA BLESSURE EST DÉJÀ CICATRISÉE, KIM. C'EST INCROYABLE !

OUI... CE N'EST MÊME PAS LA PEINE DE METTRE UN NOUVEAU PANSEMENT !

24

26

AH, KIM, TU NE DEVRAIS PAS TE DÉSHABILLER COMME ÇA DEVANT LES GARÇONS. UN PEU DE PITIÉ!...

QU'EST-CE QUI T'ARRIVE, HECTOR? TU M'AS DÉJÀ DÉSHABILLÉE TOI-MÊME POUR PANSER MA BLESSURE, NON?

JUSTEMENT! J'AIMERAIS BIEN EN RESTER LÀ! TU ES UNE FEMME TROP... TROP ATTIRANTE, KIM.

AH LÀ LÀ! POURQUOI TOUTE CETTE EXCITATION AUTOUR DE MOI, LES GARÇONS? D'ABORD STEVE, PUIS TOSHIRO, ET MAINTENANT TOI, HECTOR! JE N'AI RIEN D'UNE BOMBE SEXUELLE, TOUT DE MÊME!...

À CÔTÉ D'INGE, PAR EXEMPLE, JE ME SENS UNE FILLE TOUT À FAIT BANALE ET...

AH!

SLAP

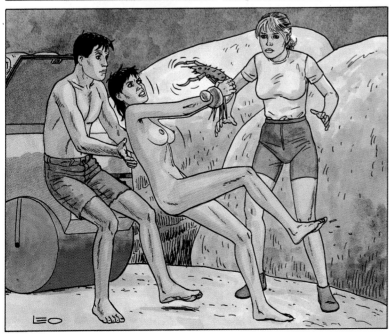

LEO

PAF

25

SALETÉ DE BESTIOLE ! ON N'A PAS UNE MINUTE DE RÉPIT, SUR CETTE MAUDITE PLANÈTE !

HÉLI... JE N'AI PAS FAIT EXPRÈS D'ÊTRE LÀ, HEIN, HECTOR ! NOUS SOMMES BIEN D'ACCORD ?

D'ACCORD, KIM, D'ACCORD. MAIS SI TU TE LEVAIS, MAINTENANT ?

EN ESPÉRANT QU'IL N'Y AIT PAS D'AUTRE DE CES HORRIBLES TRUCS LÀ-DEDANS !...

UNE PETITE SPHÈRE FLOTTANT DANS L'AIR ? ET QUI VOUS AURAIT SAUVÉ LA VIE ?

TOUT À FAIT !

MAIS D'OÙ POURRAIT SORTIR UNE TELLE CHOSE ?

ÇA, J'AIMERAIS BIEN LE SAVOIR !...

UNE CAMÉRA-ROBOT QUI FLOTTE DANS L'AIR, CAPABLE D'ÊTRE GUIDÉE À DISTANCE AVEC UNE TELLE PRÉCISION, ÇA RESSEMBLE À DE LA SCIENCE-FICTION !...

CROYEZ-VOUS QU'ILS AURAIENT ÇA ICI ? MAIS QUI ? LE GROUPE DU DÉSERT ? LE GROUPE DU CANYON ? POURQUOI VOUS SUIVRAIENT-ILS COMME ÇA, DISCRÈTE-MENT ? ÇA N'A PAS DE SENS !

OUI... ÇA N'A AUCUN SENS.

PEUT-ÊTRE QUE CELUI OU CEUX QUI COMMANDENT CETTE CAMÉRA N'APPARTIENNENT À AUCUN DES GROUPES QUE NOUS CONNAISSONS.

AH BON ? POURTANT PERSONNE JUSQU'À PRÉSENT N'A PARLÉ DE L'EXISTENCE D'UN TROISIÈME GROUPE NI D'INDIVIDUS ISOLÉS...

OUI... RESTE À SAVOIR S'ILS ONT OUBLIÉ OU S'ILS NOUS ONT MENTI...

LÉO

26

28

BON, MES AMIS, JE SUIS ÉPUISÉE, JE VAIS DORMIR, ET JE CRAINS QUE, EN CAS DE DANGER, JE RISQUE DE NE PAS ME RÉVEILLER...

JE MONTERAI LA GARDE, VOUS POUVEZ DORMIR TRANQUILLES VOUS DEUX. VOUS L'AVEZ MÉRITÉ.

AU MÊME MOMENT, QUELQUE PART DANS LE CANYON...

iUM iUM iUM

QU'EST-CE QU'IL Y A ? UN DANGER ?

QU'EST-CE QUI SE PASSE ? QU'EST-CE QUE VOUS REGARDEZ ?

JE VEUX VOIR MOI AUSSI ! POUSSEZ-VOUS !

?

27

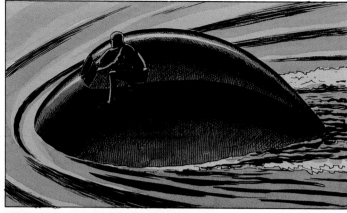

MON DIEU DE MON DIEU DE MON DIEU ! MAIS QU'EST-CE QUE...

?!

LEO

LE LENDEMAIN, TRÈS TÔT...

IL PLEUT! C'EST LA PREMIÈRE FOIS QUE JE VOIS ÇA ICI!

CE N'EST PAS LA FAÇON LA PLUS AGRÉABLE DE SE RÉVEILLER, HEIN ?...

ON MANGE UN MORCEAU VITE FAIT ET ON PART, ÇA VOUS VA?

OUI, OUI, EN ROUTE VERS LA CIVILISATION ET LE CONFORT!

C'EST BON? ON Y VA?

ALLONS-Y!

?!

RRRRRRR

LE MOTEUR VIBRE!

ET IL A PERDU DE LA PUISSANCE! JE FAIS DEMI-TOUR.

CETTE FOIS C'EST QUELQUE CHOSE DANS LE MOTEUR MÊME QUI CLOCHE, CE N'EST PAS ÉLECTRONIQUE. ET LÀ, JE N'Y PEUX RIEN. C'EST UN BLOC FERMÉ, IL N'Y A RIEN QU'ON PUISSE FAIRE SANS DES OUTILS APPROPRIÉS.

CE DOIT ÊTRE UNE CONSÉQUENCE DU CHOC D'HIER...

PFFF!... PAS DE CHANCE, HEIN ?

LA MOTO VOLE ENCORE TANT BIEN QUE MAL. CES ENGINS SONT VACHEMENT ENDURANTS. JE PROPOSE QU'ON DÉBARQUE TOUT POIDS SUPERFLU ET QU'ON REPARTE. C'EST NOTRE SEUL ESPOIR.

LÉO

㉙

31

VOILÀ : NOUS NE GARDONS QUE LES ARMES ET LES MUNITIONS, LA BOÎTE DES PREMIERS SECOURS ET UN PEU DE NOURRITURE...

C'EST BON, PARTONS !

JE VAIS ESSAYER DE MONTER VERS LE HAUT DU CANYON, EN MÊME TEMPS QUE NOUS TRAVERSONS LA RIVIÈRE.

ET POURQUOI ÇA ?

SI LA MOTO REND L'ÂME ET QUE NOUS SOMMES OBLIGÉS DE REGAGNER LES VILLAGES À PIED, IL NOUS FAUT ABSOLUMENT ÊTRE LÀ-HAUT POUR MARCHER, ET DU BON CÔTÉ DE LA RIVIÈRE.

C'EST PARTI !

RRRRRRRRR

RRRRRRR

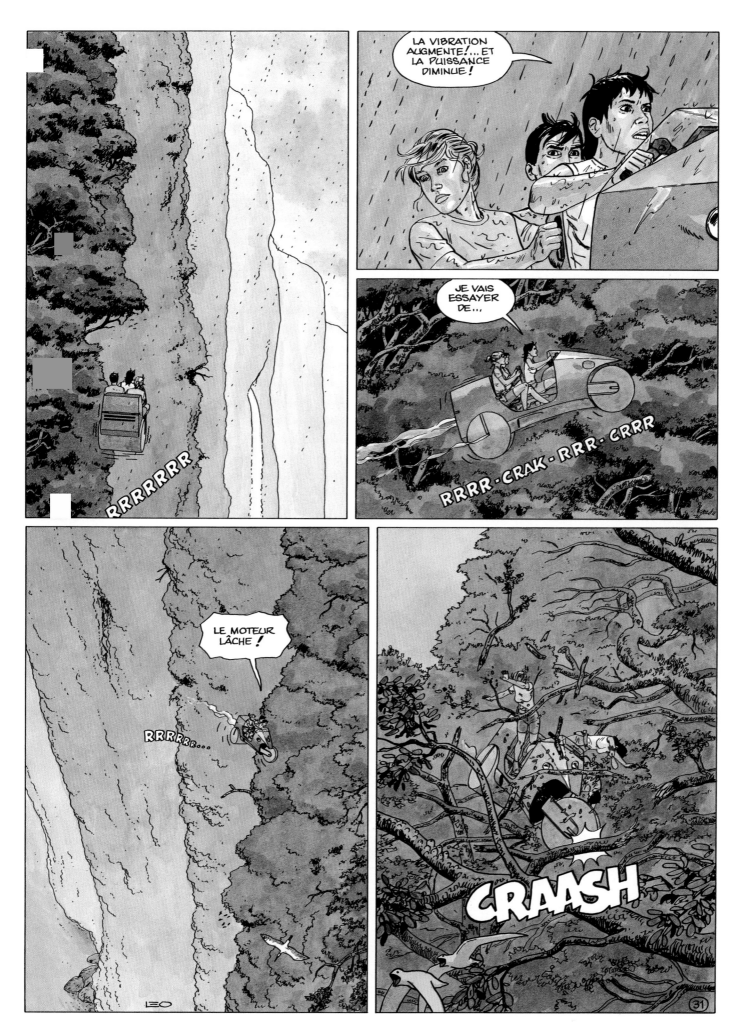

AH!

ÇA VA, HECTOR?

JE ME SUIS TORDU LA CHEVILLE..., ÇA FAIT VACHEMENT MAL!

PFIOU!... ÇA AURAIT PU ÊTRE BIEN PIRE!

NOUS L'AVONS ÉCHAPPÉ BELLE, MES AMIS!

ÇA, TU PEUX LE DIRE!...

NOUS N'AVONS PLUS NOTRE TROUSSE DE PREMIERS SECOURS, MON GRAND!

OUI... PAS DE CHANCE!...

JE NE PEUX PAS APPUYER SUR MON PIED: COMMENT VAIS-JE FAIRE POUR SORTIR D'ICI?

NOUS AVONS UN SACRÉ PROBLÈME, LES ENFANTS, AVEC OU SANS CHEVILLE BLESSÉE, NOUS N'ARRIVERONS JAMAIS À ESCALADER CETTE PAROI!

KIM!... REGARDE, LÀ!

32

ILS... ILS AVANCENT VERS NOUS !...

ÇA A TOUT L'AIR, OUI...

QU'EST-CE QU'IL Y A ?

DES INSECTES ! DES MILLIERS D'INSECTES ! IL FAUT SORTIR D'ICI !

CRII

CRIII

CRIII

CRIII

CRI

CRIII

KIM, JE NE PEUX PAS BOUGER !

MAIS IL LE FAUT, HECTOR, COÛTE QUE COÛTE !

CRII

CRII

CRIII

iUM

CRiii

WAOU! LES IUMS SONT TRÈS FORTS POUR LA VOLTIGE, HEIN ?...

MON DIEU! IL FAUT QUE JE RÉCUPÈRE MES ESPRITS... QUE S'EST-IL PASSÉ? QUE FAIS-TU ICI, MAÏ LAN ?

EH BIEN, JE SUIS VENUE AVEC LES IUMS. MON AMI IUMMY ME TRIMBALE SUR SON DOS...

MAIS COMMENT SAVAIENT-ILS QUE NOUS ÉTIONS LÀ, ET QUE NOUS AVIONS BESOIN D'AIDE ?!

AH ÇA, MYSTÈRE! JE N'AI PAS ENCORE RÉUSSI À DÉCOUVRIR COMMENT ILS FONT.

ILS NOUS ONT TOUT SIMPLEMENT SAUVÉ LA VIE, TES AMIS IUMS!

JE CROIS QUE C'EST À CAUSE DE TOI. ILS T'AIMENT BIEN.

AH OUI ?... BON... NOUS AVONS UN PROBLÈME, TU SAIS, NOTRE VÉHICULE EST TOMBÉ EN PANNE ET NOUS AVONS ÉCHOUÉ ICI, EN PLEIN MILIEU DE LA PAROI. MAINTENANT NOUS SOMMES INCAPABLES DE MONTER JUSQUE LÀ-HAUT, SURTOUT AVEC HECTOR QUI S'EST FOULÉ LA CHEVILLE.

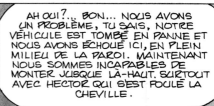

MAIS IL N'Y A PAS DE PROBLÈME. LES IUMS PEUVENT VOUS TRANSPORTER.

TU PENSES QU'ILS ACCEPTERAIENT DE NOUS ACHEMINER SUR LEUR DOS COMME ILS LE FONT AVEC TOI ?

JE PENSE, OUI, N'EST-CE PAS, IUMMY? TU PEUX DIRE À TES COPAINS DE LES EMMENER, HEIN ? CE SONT MES AMIS.

ILS TE COMPRENNENT COMME ÇA ?

OH, ILS SONT TRÈS INTELLIGENTS, ILS COMPRENNENT TOUT!

C'EST INCROYABLE!

LÉO

35

37

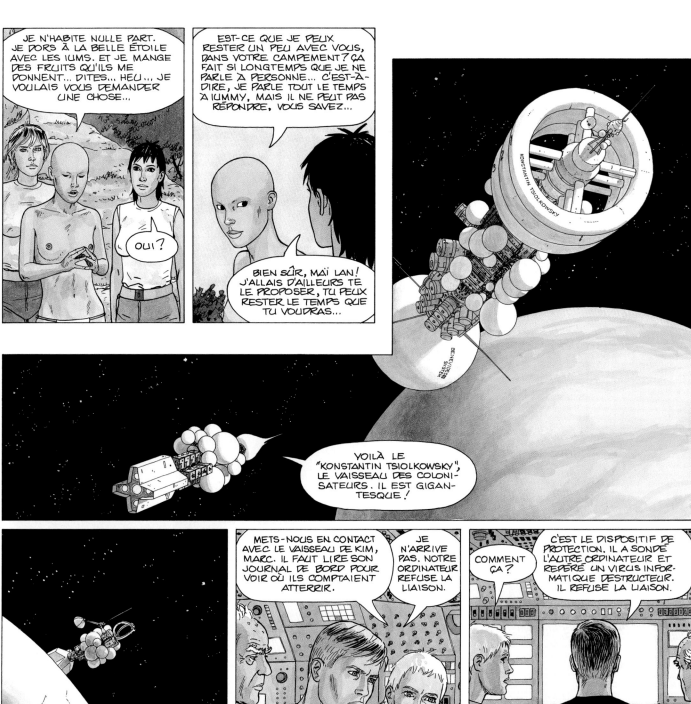

JE N'HABITE NULLE PART. JE DORS À LA BELLE ÉTOILE AVEC LES IUMS. ET JE MANGE DES FRUITS QU'ILS ME DONNENT... DITES... HEU..., JE VOULAIS VOUS DEMANDER UNE CHOSE...

OUI ?

EST-CE QUE JE PEUX RESTER UN PEU AVEC VOUS, DANS VOTRE CAMPEMENT ? ÇA FAIT SI LONGTEMPS QUE JE NE PARLE À PERSONNE... C'EST-À-DIRE, JE PARLE TOUT LE TEMPS À IUMMY, MAIS IL NE PEUT PAS RÉPONDRE, VOUS SAVEZ...

BIEN SÛR, MAÏ LAN ! J'ALLAIS D'AILLEURS TE LE PROPOSER, TU PEUX RESTER LE TEMPS QUE TU VOUDRAS...

VOILÀ LE "KONSTANTIN TSIOLKOWSKY", LE VAISSEAU DES COLONI-SATEURS. IL EST GIGAN-TESQUE !

ET VOILÀ LE VAISSEAU DE KIM !

LE MODULE HABITABLE EST ABSENT : ILS SONT DONC DESCENDUS À LA SURFACE...

METS-NOUS EN CONTACT AVEC LE VAISSEAU DE KIM, MARC. IL FAUT LIRE SON JOURNAL DE BORD POUR VOIR OÙ ILS COMPTAIENT ATTERRIR.

JE N'ARRIVE PAS. NOTRE ORDINATEUR REFUSE LA LIAISON.

COMMENT ÇA ?

C'EST LE DISPOSITIF DE PROTECTION. IL A SONDÉ L'AUTRE ORDINATEUR ET REPÉRÉ UN VIRUS INFOR-MATIQUE DESTRUCTEUR. IL REFUSE LA LIAISON.

MAIS ÇA N'EXISTE PLUS, LES VIRUS INFORMATIQUES !

CE DOIT ÊTRE QUELQUE CHOSE DE... DE NOUVEAU, DE DIFFÉRENT...

ÉTRANGE..., TRÈS ÉTRANGE, ÇA. CE SERAIT ÇA, LA CAUSE DES ENNUIS DE LA MISSION DE KIM ? UN VIRUS INFORMATIQUE ?!

NOUS AVONS LES COORDONNÉES DE L'ENDROIT OÙ S'EST POSÉ L'ÉQUIPAGE DU "TSIOLKOWSKY", MARC : NOUS ALLONS DESCENDRE JUSQUE-LÀ : C'EST SÛRE-MENT CE QU'ONT FAIT KIM ET SES COMPAGNONS...

LEO

37

39

UNE SEMAINE PLUS TARD...

LA CHEVILLE D'HECTOR EST ENCORE TRÈS ENFLÉE...

OUI. JE CROIS QUE SON ENTORSE EST SÉRIEUSE. IL FAUT ATTENDRE.

TU NE VEUX PAS LAVER LA SALADE QUI EST LÀ, À CÔTÉ DU BASSIN, INGE ? LA VIANDE EST PRESQUE PRÊTE.

HMMM ! ÇA SENT BON !

DIS-MOI, KIM... HEU... HECTOR, IL N'EST PAS TON PETIT AMI, NI CELUI D'INGE, NON ?

HECTOR ? NON, IL N'EST LE PETIT AMI DE PERSONNE QUE JE SACHE. POURQUOI ?

PARCE QUE JE LE TROUVE TRÈS BEAU ET TRÈS SYMPA- THIQUE. MAIS J'AI PEUR QU'IL ME TROUVE TROP MOCHE : JE N'AI PAS DE CHEVEUX ET MES SEINS SONT SI PETITS !...

NE DIS PAS DE BÊTISES, TU ES TRÈS BELLE ! UN TAS DE FILLES AIMERAIENT AVOIR UN CORPS COMME LE TIEN.

OUI MAIS...

TIENS ! IUMMY ?

ÇA VA, IUMMY ? TU ES AVEC UN AMI ?

IUMM·MM

QU'EST-CE QUI SE PASSE, MAÏ LAN ?

JE NE SAIS PAS TRÈS BIEN, MAIS IL ME SEM- BLE QU'IL VEUT NOUS CONDUIRE, TOI ET MOI, QUELQUE PART.

AH BON ? C'EST CURIEUX... DIS-LUI QUE NOUS ALLONS D'ABORD MANGER UN MORCEAU ET QU'APRÈS NOUS POUVONS Y ALLER, D'ACCORD ?

38

40

À TOUT À L'HEURE ! JE VAIS ESSAYER DE REVENIR VITE.

NE T'INQUIÈTE PAS POUR NOUS... FAIS ATTENTION À TOI !

NOUS DESCENDONS VERS LA RIVIÈRE.

MAIS OÙ VONT-ILS ? NOUS SOMMES DÉJÀ TRÈS LOIN DU CAMPEMENT !

JE CROIS QUE JE COMMENCE À DEVINER OÙ ILS NOUS EMMÈNENT...

VOILÀ CE QUE J'APPELLE "LA CAVERNE DES IUMS". ILS NE M'ONT JAMAIS LAISSÉE ENTRER. JE NE SAIS PAS CE QU'ILS FABRIQUENT LÀ-DEDANS, MAIS IL Y A TOUJOURS UNE FOULE D'IUMS PAR ICI.

ET MAINTENANT, IUMMY ? IL FAUT QUE NOUS ENTRIONS, C'EST ÇA ?

IUM

ÇA ALORS ! JE ME DEMANDE À QUOI ÇA RIME, TOUT ÇA...

ON VERRA BIEN. VIENS.

39

41

ÇA ALORS ! ILS SUBSTITUENT LEUR TRUC VENTRAL POUR D'AUTRES !...

C'EST UNE ESPÈCE DE PILE ÉNERGÉTIQUE. JE SUPPOSE QU'ILS DOIVENT LA REMPLACER DE TEMPS EN TEMPS.

LEO

C'EST UNE AUTRE PARTIE DU MÊME ANIMAL DE L'AUTRE SALLE. SON CORPS S'EST ADAPTÉ À LA FORME DE LA CAVERNE... UN CORPS IMMENSE!

C'EST ICI DONC QU'ARRIVENT LES FRUITS QUE LES IUMS JETTENT DANS LA RIVIÈRE ! TOSHIEO SE TROMPAIT : IL N'Y A PAS DE "FABRIQUE" DE PILES VENTRALES. C'EST UN ANIMAL QUI S'EN CHARGE. UN GRAND ANIMAL IMMOBILE QUI VIT EN SYMBIOSE AVEC LES IUMS. ILS LUI APPORTENT DE LA NOURRITURE ET, EN ÉCHANGE, IL UTILISE UNE PARTIE POUR CONFECTIONNER LES PILES POUR LES IUMS.

MAIS C'EST ÉTRANGE... JE RESSENS UNE SENSATION BIZARRE, DANS CETTE SALLE. ON DIRAIT QUE LA PROXIMITÉ DE CET ANIMAL GIGANTESQUE PROVOQUE EN MOI UNE RÉACTION... QUELQUE CHOSE D'INDÉFINISSABLE...

VRAIMENT ÉTRANGE... D'AILLEURS, POURQUOI LES IUMS ONT-ILS VOULU QUE JE VIENNE ICI ?...

QU'EST-CE QU'IL Y A ?

IL Y AVAIT UNE CHOSE, LÀ... UNE CHOSE PLEINE DE TENTACULES. MAIS JE N'AI PAS EU PEUR.

LEO

44

46

CETTE CHOSE M'A DONNÉ UN PETIT TRUC BLEU... ET JE L'AI AVALÉ.

QUOI ?!

ELLE T'A DONNÉ UN... UNE GÉLULE BLEUE TRANSLUCIDE ?!

CE SERAIT ÇA, ALORS ? UNE MANTRISSE ? SOUS UNE FORME DIFFÉRENTE ? ... MAIS COMMENT EXPLIQUER ALORS LA CRÉATURE QUE J'AI VUE DANS LA RIVIÈRE ? ...À MOINS QUE...

JE N'AURAIS PAS DÛ AVALER CE TRUC, HEIN ? ...J'AI FAIT UNE BÊTISE, NON ?

JE NE SAIS PAS... MAIS PEUT-ÊTRE QUE TU N'AVAIS PAS VRAIMENT LE CHOIX...

COMMENT ÇA, KIM ? TU PARLES PAR ÉNIGMES, J'Y COMPRENDS RIEN !

VIENS, SORTONS.

45

DU MÊME AUTEUR :
KENYA
SCÉNARIO : RODOLPHE & LEO

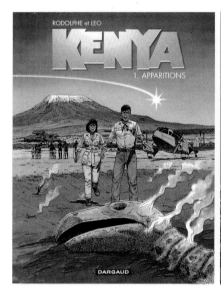 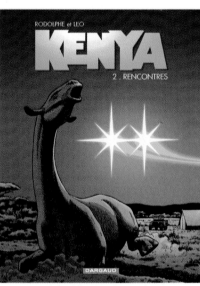 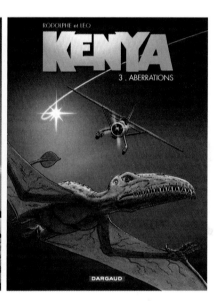

Une légende ancienne prétend
que dans les contreforts du Kilimandjaro,
le plus haut sommet d'Afrique,
sont enfouies des choses vieilles comme le monde,
des choses terribles qu'il ne faut pas réveiller…

	TERRE	ALDÉBARAN-4	BÉTELGEUSE-6
Diamètre	12 756 km	13 127 km	11 853 km
Gravité à la surface	1	1,2	0,89
Longueur de l'année	365 jours	369 jours	355 jours
Longueur du jour	23 h 56 min	24 h 36 min	23 h 45 min
Pourcentage mer/terre	70/30	91/09	11/89
Hauteur maximale	8848 m (Everest)	4 780 m (Saterjee)	9 745 m (Van Gogh)
Profondeur maximale	11 520 m	26 700 m	5 360 m
Nombre de satellites	1	2	aucun

BÉTELGEUSE

ORION